SO-ABZ-169

50 Consejos de Oro para tu
GOLDFISH

AMANDA O'NEILL

HISPANO EUROPEA

La autora, Amanda O'Neill, nació en Sussex en 1951 y estudió literatura medieval en la Universidad de Exeter. Nunca ha vivido sin tener en su hogar variedad de mascotas: desde conejos y jerbos hasta caracoles gigantes y cucarachas siseantes. Actualmente vive en los Midlands con su marido y su hijo, junto con cinco perros, un gato, hamsters enanos de Roborowski y un montón de peces de agua fría.

Las recomendaciones que aparecen en este libro se proporcionan sin ninguna garantía por parte de la autora y el editor. En caso de duda, consulte con un veterinario o un especialista en los cuidados de mascotas.

Índice

INTRODUCCIÓN

1 Los goldfish son las mascotas caseras más populares del mundo

Los goldfish (también llamados carpas doradas o peces rojos) son los peces de acuario más resistentes. Tras el coste inicial que supone la instalación del acuario, resultan baratos y fáciles de cuidar. De hecho, son la mascota ideal para la gente que carece de tiempo y espacio para un animal más exigente en cuanto a sus cuidados pero, aparte de esto, tiene sus propias ventajas. El goldfish común es una criatura extraordinariamente hermosa, con su brillante colorido y sus movimientos elegantes. Es toda una delicia ver a los peces que viven en un acuario bien cuidado, y nos proporcionan un antídoto genial contra el estrés propio de la vida moderna.

La decoración de un acuario puede ser tan sencilla o elaborada como se quiera. Las rocas y las plantas proporcionan un entorno atractivo, y también hacen que la vida de los peces resulte más interesante.

Los goldfish son adornos vivientes

Suponen una decoración en cualquier habitación pero, al contrario que otros adornos, necesitan un cierto grado de compromiso en términos de tiempo y atenciones. En comparación con la mayoría de las mascotas, los goldfish son muy poco exigentes: los puede dejar solos hasta una semana si se va de vacaciones. No obstante, no sobrevivirán si se les tiene muy descuidados. El entorno artificial en el que viven debe ser, en primer lugar, equipado con cuidado, y necesita una limpieza regular y cambios de agua para que ésta se mantenga en condiciones y los peces puedan respirar.

Los goldfish tienen una larga historia como mascotas

Surgieron hace más de mil años en el sur de China, donde los criadores de peces descubrieron que la carpa crucial salvaje, de coloración tristona (generalmente de un color amarillo mate), producía a veces mutaciones con colores más llamativos, escamas más brillantes o aletas de formas curiosas. La cría selectiva de estas mutaciones naturales dio lugar a varias formas ornamentales con el característico color dorado. Más tarde, los criadores de peces japoneses y coreanos contribuyeron, con sus conocimientos, al desarrollo de más variedades. Los goldfish llegaron a Europa en el siglo XVI y a los EE.UU. en el XIX, y siguieron diseminándose por todo el mundo.

Derecha: Los goldfish pueden vivir en una pecera sin objetos, pero serán más felices y fáciles de cuidar y estarán más sanos en un entorno bien diseñado como éste.

UNA LARGA ESPERANZA DE VIDA
Los goldfish viven mucho tiempo. Si se les proporcionan unas condiciones de vida adecuadas, pueden alcanzar los 25 años o más: el récord está en 43 años, pero esto es algo infrecuente. En estanques y grandes acuarios pueden vivir entre 15 y 20 años. En acuarios de menor tamaño es más normal que vivan 5-10 años.

COLORES ANCESTRALES
Los goldfish no son dorados cuando eclosionan del huevo, sino de un mortecino color marrón verdoso, recordando así a sus ancestros salvajes. La mayoría pasa después por una etapa de coloración negra o marrón oscura antes de volverse dorados. No obstante, algunos ejemplares heredan el color de sus ancestros y seguirán siendo marrones o de color bronce

LA PRIMA KOI
La carpa koi japonesa se parece al goldfish en muchos aspectos, pero desciende de una especie de carpa distinta y tiene dos pares de bigotes alrededor de la boca. ¡No confunda ambas especies! Las carpas koi no están hechas para la vida en un acuario, ya que crecen hasta alcanzar un tamaño mucho mayor (hasta un metro de longitud) y necesitan un estanque grande y profundo.

Ideas de Oro

4

CONOZCA A

¿No tocar!

Las escamas de los peces están recubiertas por una fina capa de piel que produce un moco lubricante que ayuda al pez a deslizarse por el agua y también le protege de las infecciones. Si debe manipular a sus goldfish, asegúrese de tener las manos húmedas para evitar dañar esta frágil piel.

Debajo: La boca actúa más bien como la boquilla de una aspiradora.

MANDÍBULAS ESPECIALES

Los goldfish tienen unas partes de la boca que pueden sobresalir, con lo que el alimento es «aspirado» hacia el interior de la boca debido a un vacío parcial generado por la acción de las agallas. Su boca carece de lo que podríamos llamar dientes ordinarios, pero tienen unos dientes especiales situados en la parte posterior de su garganta, para así triturar la comida mientras es ingerida.

HORA DE DORMIR

Sí, los goldfish duermen por la noche, aunque no pueden cerrar sus ojos. Los goldfish que están durmiendo suelen descender hasta el fondo del tanque, y su coloración se hace un poco más clara. Duermen mejor en la oscuridad, así que apague las luces de la pecera por la noche. Necesitan dormir sin ser molestados para mantenerse sanos.

¿Por qué son dorados los goldfish?

Las escamas de los goldfish son, de hecho, transparentes. Bajo ellas hay una fina capa de piel que contiene células pigmentarias (de color) y también una capa de material cristalino llamado *guanina*. Es la guanina la que crea el característico brillo metálico. No todos los goldfish tienen una coloración metálica: algunas variedades carecen de guanina y tienen un aspecto «mate», en lugar de uno «brillante». El verdadero color de los goldfish (ya que no todos ellos son dorados) depende del tipo y la combinación de las células pigmentarias y, de hecho, hay goldfish blancos (plateados) que carecen totalmente de células pigmentarias.

Derecha: Los peces tienen un aparato respiratorio muy eficiente, pero necesitan agua limpia y bien aireada que les proporcione así oxígeno suficiente que respirar.

SU GOLDFISH

¿Cómo nadan los goldfish?

Cuando nada, el goldfish confía en su cola y su aleta caudal para obtener la mayor parte de su propulsión. Sus aletas le proporcionan equilibrio, maniobrabilidad y la capacidad de frenar. Los dos pares de aletas que se encuentran en la parte inferior del cuerpo (las aletas pectorales y las pélvicas) le ayudan a girar y detenerse, mientras que la aleta única situada en la zona posterior de la parte inferior del cuerpo (aleta anal) y la que está sobre la espalda (aleta dorsal) le ayudan a mantener el equilibrio en el agua. Los goldfish exóticos que tienen un cuerpo o unas aletas de formas curiosas pueden tener dificultades para el nado. Los goldfish de cuerpo corto disponen de poca potencia, mientras que aquellos con aletas espectaculares tienen problemas de maniobrabilidad.

Arriba: Un juego de seis aletas proporciona al goldfish potencia, equilibrio y capacidad de maniobra.

¿Cómo respiran los goldfish?

Nosotros respiramos aire, a partir del cual nuestros pulmones extraen el oxígeno que necesitamos. Los peces «respiran» agua, extrayendo el oxígeno que contiene con sus branquias. Si la calidad del agua es mala, no habrá suficiente oxígeno para la respiración de los peces. El agua pasa por la boca del pez y sale a través de las branquias, en el interior de las cuales unos vasos sanguíneos en forma de hilo y que se encuentran cerca de la superficie toman el oxígeno y eliminan el dióxido de carbono de desecho. Las branquias están cubiertas por un escudo protector llamado opérculo, cuya forma curvada se puede ver claramente detrás del ojo.

VARIEDADES COMUNES

Debajo: El goldfish común es un pez resistente y sencillo que sólo dispone de su hermosa coloración para distinguirle de sus ancestros salvajes.

Existen más de cien variedades de goldfish

Algunas tiene la forma aerodinámica normal, mientras que otras tienen un cuerpo corto y en forma de huevo, o aletas largas y colgantes, dobles, partidas o, en el caso de la aleta dorsal, ausente. Algunas tienen una cabeza de forma peculiar, con una boina carnosa, pompones verrugosos sobre la «nariz», unas bolsas enormes bajo los ojos o unos ojos telescópicos sobre unos «soportes». Y no todos los goldfish son dorados: pueden ser blancos, negros, marrones, azules, púrpura o variegados.

Debajo: Los cometas sarasa son unos peces elegantes y esbeltos con llamativas manchas rojas y plateadas.

Lo mejor para los principiantes

Como norma general, cuanto más se parezca el goldfish a la variedad original y natural, más fácil será de cuidar. El goldfish común, que se parece en todo a su ancestro menos en el color, es el más resistente de todos. Sin exageraciones que nos distraigan de su hermoso color y su brillo metálico, es también una de las variedades más atractivas. Es el goldfish más popular, y es el recomendado para los cuidadores novatos de peces.

Los shubunkin también son adecuados para los principiantes

El shubunkin es una variedad de color muy característica que combina las escamas mates y las brillantes. Tiene la misma forma corporal que el goldfish común, pero tiene unas manchas preciosas, con un fondo azul plateado moteado con puntos negros y manchado con zonas violetas, rojas, naranjas, amarillas o marrones. Fue desarrollada en Japón y su nombre significa «brocado» (una tela con dibujos). Los shubunkin tienen dos variedades principales: el London (de aletas normales) y el Bristol (con unas aletas de mayor tamaño y redondeadas, especialmente la caudal).

Debajo: Shubunkin con abundancia de manchas.

Los cometa son fáciles de cuidar, pero necesitan más espacio

El cometa es una versión «estirada» del goldfish común, con un cuerpo más alargado y unas aletas más largas, especialmente la aleta caudal, que tiene una hendidura profunda y que puede tener la misma longitud que el cuerpo del pez. Tiene variedades con todos los colores metálicos, incluyendo la variegada, y también la calicó no metálica (moteado negro y manchas de color sobre un fondo azul plateado).

Ideas de Oro

TAMAÑO VARIABLE
Disponiendo de unas buenas condiciones y de suficiente espacio, los goldfish comunes, y también los shubunkin London, pueden alcanzar los 20 cm o más. Los cometa no alcanzan el mismo tamaño (aunque pueden llegar a tener un tamaño bastante grande si disponen de espacio), mientras que los shubunkin Bristol no crecen mucho y rara vez superan los 12 cm.

VERSIÓN JAPONESA
El wakin es la versión japonesa del goldfish común. Su aspecto es muy similar al de éste, excepto por su aleta caudal doble y en forma de abanico, y su cuerpo ligeramente más profundo, y es otra variedad resistente. Sin embargo, necesita un tanque de mayor tamaño, ya que puede alcanzar un tamaño considerablemente mayor que el de su primo común, llegando a tener una longitud de 30 cm.

Encima: Goldfish común.

COMETAS ESPECIALES
Los cometas variegados rojos y plata son especialmente populares, sobretodo el sarasa, que tiene una base plata y manchas rojas por todo el cuerpo. Menos común, aunque igualmente llamativo, es el tancho, que es completamente plateado, a excepción de una «boina» roja en la cabeza.

VARIEDADES EXÓTICAS

11

Los goldfish exóticos suelen ser más delicados

Ojos telescópicos rojo y negro

Cuanto más se aparte una variedad de la forma «natural» del goldfish, más fácil será que necesite cuidados extra. Existen tres áreas básicas que los principiantes deberían enfocar con cuidado: la forma corporal, la de las aletas y la de los ojos. Los goldfish con forma aovada, que tienen un cuerpo corto y rechoncho, son más frágiles; las aletas largas y colgantes requieren más cuidados que las más cortas; y los ojos saltones tienen una mayor tendencia a sufrir lesiones e infecciones.

¿Hermosos o grotescos? El desarrollo de goldfish exóticos les ha hecho alejarse de la forma corporal sencilla que tenían sus ancestros salvajes. Los rasgos exagerados pueden implicar que necesiten cuidados especiales.

Oranda

Ryukin calicó

12

Goldfish de forma aovada

Las variedades de cuerpo corto (con forma aovada), como el cola de abanico (fantail) y el oranda tienen una vejiga natatoria de menor tamaño (es el órgano que proporciona la flotabilidad y que permite que el pez mantenga el equilibrio). Esto hace que sean más lentos, nadadores más torpes y que además tengan una mayor propensión a padecer problemas en la vejiga natatoria, lo que afecta a su capacidad para el nado: los peces afectados pueden hundirse hasta el fondo del acuario o flotar en la superficie sin poder hacer nada por evitarlo. La compresión del cuerpo también puede afectar a la digestión, así que debe prestarse especial atención a su dieta.

Aletas exóticas

Las aletas largas, las colgantes y las dobles son elegantes y atractivas. También corren un riesgo mayor al de las aletas normales de sufrir lesiones, infecciones y la infestación parasitaria. Los peces de aletas largas son también nadadores más lentos que los goldfish «normales», y son más sensibles a la temperatura del agua. Los cola de abanico y el ryukin japonés, que tienen unas aletas de una longitud moderada, son relativamente fáciles de cuidar, pero los cola de velo no son recomendables para los principiantes.

Ojos de burbuja naranja

Ojos desorbitados

Ciertas variedades tienen unas formas anormales de los ojos. El «ojos telescópicos» es el más común, y tiene unos ojos bulbosos que sobresalen. A estos ojos telescópicos les lleva de dos a tres años desarrollarse completamente. Un caso incluso más extremo es el del goldfish celestial, que tiene unos ojos que sobresalen mucho y que siempre están situados mirando hacia arriba; y el del ojos de burbuja, que tiene unas grandes burbujas llenas de fluido alrededor de los ojos. Los ejemplares de ojos desorbitados tienden a ser delicados. Tienen dificultades para ver y encontrar la comida, y tienen tendencia a sufrir lesiones e infecciones oculares.

¡NO MEZCLAR!

Los cometa, los shubunkin y los goldfish comunes son más resistentes, veloces, activos y agresivos que las variedades más exóticas. No intente tener estos dos tipos de variedades juntas, ya que estas últimas podrían estresarse o sufrir lesiones y tendrán dificultades al competir por la parte de comida que les corresponde.

ORANDA CON BOINA

El oranda, que tiene forma aovada, es un popular pez de acuario. Se caracteriza por unas verrugas que le crecen en la cabeza y que forman una «boina», que es especialmente notable en el oranda de boina roja, una variedad plateada con la boina roja. No obstante, este pez es susceptible a la enfermedad de la vejiga natatoria y a las infecciones por hongos.

Moor

MOOR

El moor es otra variedad llamativa con un cuerpo de forma aovada, aletas colgantes, ojos desorbitados y una espectacular coloración negra. Aunque es popular, no resulta adecuado para los principiantes. Sus vulnerables ojos y aletas requieren cuidados especiales, y es más sensible a la temperatura del agua que las variedades más resistentes.

EL ACUARIO

15

Escoja su pecera cuidadosamente

Las tradicionales peceras redondas para goldfish no resultan recomendables, ya que ofrecen poca superficie de agua para la absorción del oxígeno del aire. Sin embargo, hoy día es posible adquirir una pecera redonda grande y «todo en uno» con bomba de aire y sistema de filtración integrados, lo que proporciona un entorno adecuado para los peces. La alternativa consiste en un acuario de vidrio o plástico, que se puede encontrar en varios tamaños y formas, aunque un tanque largo y rectangular suele ser mejor que uno estrecho y alto: la superficie para que pueda oxigenarse el agua es más importante que la profundidad de agua. Algunos acuarios disponibles en las tiendas de mascotas son más decorativos que prácticos.

¿Qué tamaño?

16

Adquiera el tanque más grande que pueda tener en casa, para así proporcionar unas condiciones de vida óptimas a sus peces. Cuanto menor sea el acuario, habrá menos oxígeno disponible para los peces, y más rápidamente se contaminará el agua con los productos de desecho de los goldfish. Los goldfish son activos y, además, crecen rápidamente, así que agradecen disponer de espacio. Si dispone de espacio, un tanque de 55 litros que mida 60 cm de largo, 30 de ancho y 30 de profundidad supondrá un buen inicio. En él podemos tener alojados cómodamente a cinco goldfish jóvenes, que dispondrán de espacio para crecer.

Derecha: Aunque son bastante pequeños, estos tanques de plástico, que disponen de una piedra difusora de aire en cada sección, proporcionan más espacio que una pecera redonda convencional.

17

Es importante escoger el lugar adecuado para su acuario

Querrá disfrutar teniendo una buena vista del acuario, y los peces querrán disponer de paz y tranquilidad sin correr riesgos de que las personas que pasen cerca den golpes a su hogar. El lugar ideal estará también alejado de las corrientes de aire y de las fuentes de calor, para así evitar los cambios bruscos y repentinos de temperatura, y no estará expuesto a la luz directa del sol, que recalentaría el agua, reduciría su contenido en oxígeno y potenciaría el crecimiento de algas. También querrá disponer de un enchufe cerca, para poder conectar el filtro, la iluminación y otros utensilios sin tener cables discurriendo por la habitación, cosa que podría ser peligrosa.

Encima: Esta pecera redonda moderna dispone de una bomba de aire y un sistema de filtración incorporados.

Derecha: El diseño vertical proporciona una menor superficie de agua para la oxigenación que el horizontal, así que una bomba resulta esencial para airear el agua de forma adecuada.

Ideas de Oro

UTENSILIOS

18

Vale la pena instalar una bomba y un filtro

Mantener una buena calidad del agua es la clave para la supervivencia de los goldfish. El agua es el medio vital de un pez y, a partir de ella obtiene el oxígeno para respirar, pero también es el retrete del animal. En el entorno pequeño y cerrado de un acuario, el oxígeno es consumido rápidamente, y los productos de desecho se acumulan y van envenenando al pez. Los cambios regulares y parciales del agua (véase la pág. 24) hacen mucho para mejorar la aireación y para eliminar los productos de desecho, pero una bomba y un filtro hacen que esta tarea resulte más sencilla y mantienen altos los niveles de oxígeno.

Espuma filtrante   Cuerpo del filtro   Impulsor magnético   Motor

Encima: Filtro subacuático desmontado para mostrar sus componentes.

19

Un filtro limpia el agua eliminando los productos de desecho

Hace pasar el agua a través de un medio filtrante y retiene las partículas sólidas, devolviendo el agua ya limpia al tanque. Los filtros biológicos desarrollan además bacterias beneficiosas que descomponen los productos de desecho de los peces y los transforman en componentes inocuos. Existen muchos tipos de filtros a su disposición, entre los que se incluyen los filtros de caja y los que se colocan bajo la grava, que están alimentados por una bomba de aire, y filtros eléctricos externos e internos, que disponen de sus propias bombas. En su tienda de peces podrán aconsejarle sobre el mejor para su acuario.

ELÉCTRICOS

20. Una bomba de aire incrementa la cantidad de oxígeno en el agua

Las burbujas que ascienden desde la piedra difusora de aire oxigenan el agua.

La bomba está unida a una piedra difusora de aire, que genera un caudal de burbujas, que circulan y airean el agua, y que también ayudan a que los gases de desecho (dióxido de carbono y amoniaco) salgan del agua a través de la superficie. La mayoría de las bombas deben ser colocadas en una estantería, por encima del nivel del tanque, para así evitar que el agua refluya. La misma bomba puede hacer funcionar un filtro de caja o uno situado debajo de la grava, y proporcionar un suministro de aire a la piedra difusora. Déjese aconsejar sobre el mejor tipo de bomba para su acuario.

21. La seguridad es lo primero

El agua y la electricidad son una combinación peligrosa. Al instalar un tanque con una bomba, un filtro o con iluminación, asegúrese de que los cables estén recogidos de modo seguro, de forma que nadie pueda tropezar con ellos, e instale un interruptor del circuito, para que desconecte la electricidad si ocurre un accidente. Trate a los aparatos eléctricos con respeto. Desconecte siempre la corriente antes de manipularlos y nunca toque estos aparatos ni los interruptores con las manos mojadas.

EL PAISAJE DEL ACUARIO

22

Decoraciones para el acuario

La decoración de su acuario con plantas, rocas y adornos crea un efecto agradable a la vista y también crea un entorno más interesante para los peces. Los goldfish prefieren un mundo con unos pocos lugares para esconderse que un entorno totalmente desprovisto de objetos. Es decisión suya optar por un aspecto natural o crear un reino subacuático de fantasía. Una lámina adherida en la parte posterior del acuario supondrá una ampliación del entorno, además de ocultar los cables, etc., que se encuentran detrás.

Encima: Una lámina impresa colocada en la parte posterior proporciona un toque de acabado a la decoración de su acuario, además de ocultar los cables (que darían mal aspecto) y otras distracciones visuales.

23

Las plantas acuáticas aumentan la belleza de su acuario

También ayudan a airear el agua y proporcionan a sus peces refugio y bocados nutritivos. Escoja plantas adecuadas para los acuarios de agua fría. Los goldfish disfrutan comiendo plantas, y también tienden a arrancarlas de raíz al alimentarse, así que quizá deba renovar dichas plantas de vez en cuando. Las plantas enraizadas en fibra mineral quedan sujetas más firmemente que las enraizadas sin más. Como alternativa puede adquirir plantas de plástico, que duran para siempre y que sólo deben ser limpiadas para conservar su aspecto.

Las plantas de plástico y la madera de deriva tratada profesionalmente son unas decoraciones seguras para su acuario.

24

El suelo
del acuario

La grava o la arena suelen ser usadas para cubrir el suelo del acuario. Los comerciantes de

Grava coloreada y no coloreada.

productos para acuarios y las tiendas de mascotas disponen de un amplio surtido de gravas, tanto naturales como coloreadas y de distintos tamaños, que son seguras para su uso en acuarios.

La grava de tamaño mediano es la mejor: la grava fina y la arena no pueden usarse si tenemos un filtro situado bajo la grava, y una grava más gruesa podría quedar atorada en la garganta de los peces.

No caiga en la tentación de recoger su grava o arena de las riberas de los ríos o de la playa, ya que podría estar contaminada.

HOJAS DURAS

Su comercio de productos para acuarios debería disponer de una selección de plantas adecuadas para un acuario de agua fría. Una que vale la pena buscar es el helecho de Java (Microsorium pteropus), cuyas hojas duras son a prueba de mordisqueos. Las plantas de hojas blandas pueden resultar demasiado apetitosas como para durar demasiado.

Encima: Las plantas deben ser enraizadas firmemente en la grava.

25

Rocas y adornos

Los comercios de productos para los acuarios y las tiendas de mascotas también son la fuente más segura de rocas y adornos, asegurándose de evitar las rocas con filos cortantes, que podrían provocar heridas a sus peces, y las rocas calcáreas, cuyo contenido mineral podría afectar a los parámetros químicos del agua. Dispone de una amplia variedad de adornos, entre los que se incluyen figuras alimentadas por la bomba de aire. No caiga en la tentación de adquirir adornos no fabricados para su uso en un acuario, ya que algunos plásticos y metales son tóxicos para los peces.

EVITE LAS CONCHAS

Las conchas y el coral pueden parecer adornos adecuados para un acuario, pero no se arriesgue a usarlos. Pueden desprender sustancias químicas en el agua, haciendo que ésta se torne excesivamente alcalina para los goldfish. También generan un problema de higiene, ya que tienden a retener partículas de productos de desecho.

DECORACIÓN CON MADERA DE DERIVA

Los trozos de madera de deriva usados a modo de adorno suponen otro peligro potencial. Nunca use trozos cogidos en la playa. La madera de deriva debe ser limpiada y curada profesionalmente para hacer que sea segura, así que sólo los trozos etiquetados como aptos para este propósito resultan adecuados.

AGUA DEL GRIFO

*Los goldfish son notablemente
tolerantes en lo tocante al agua. Puede
adquirir equipos para comprobar el pH
o el grado de dureza del agua del grifo,
pero, no obstante, sus peces deberían
tolerarla. Recuerde, simplemente,
desclorar el agua tal y como se
describe en el consejo 27.*

CICLO DEL ACUARIO

*Si, repentinamente, añade peces a un
tanque nuevo, sus productos de
desecho harán que aumenten los
niveles de amoniaco en el agua antes
de que se desarrollen bacterias
beneficiosas en el filtro para hacerles
frente, y los peces se envenenarán.
Proteja a sus peces acondicionando el
agua de antemano y no añadiendo
demasiados peces de una sola vez.*

*Encima: Enjuague la grava
exhaustivamente antes de usarla,
agitándola con firmeza hasta que
el agua corra clara.*

AGRADECIMIENTO A LA GRAVA

*La mayoría de las personas que tienen
peces piensan que la grava supone
un lecho atractivo para un acuario. Los
goldfish se alimentan, por naturaleza,
en el fondo, y disfrutan escarbando la
grava que, además, proporciona un
medio para que crezcan las plantas.
Siempre resulta sensato y humano
proporcionar algo de grava como
sustrato para sus peces.*

PREPARACIÓN DEL ACUARIO

Piense en el diseño antes de añadir el agua

Empiece colocando la grava (a no
ser que disponga de un filtro de los
que se colocan bajo la grava, en
cuyo caso deberá colocarlo en primer lugar), enjuagándola
exhaustivamente antes de su uso. Coloque una capa más profunda
de grava en la parte posterior, de modo que haya una ligera
pendiente descendente en dirección hacia la parte delantera del
acuario. Esto hará que la limpieza resulte más fácil, potenciando que
la suciedad se dirija hacia la parte delantera del tanque, desde
donde podrá ser extraída mediante un sifón. Coloque las rocas y los
adornos, enterrando firmemente su base en la grava. A continuación
coloque la bomba y la piedra difusora en el lugar correspondiente y
esconda el tubo de aire bajo la grava. Puede usar una roca para
ocultar la piedra difusora.

*Debajo: Echar el agua sobre un plato evitará que
remueva la grava. Derecha: Un desclorador químico
le proporcionará la
garantía de que el
agua será segura
para los peces.*

A continuación añada el agua

Una vez esté satisfecho con la disposición, puede empezar a añadir el agua: el agua del grifo bastará, siempre que la haya tratado con un producto acondicionador para así eliminar los nocivos productos desinfectantes clorados. Para evitar remover la grava y destrozar la cuidada disposición de los objetos, coloque un plato pequeño sobre la grava y eche el agua despacio sobre él. Cuando el acuario esté medio lleno, añada las plantas, enterrando sus raíces bajo la grava y afianzándolas con pequeñas rocas. Ahora podrá añadir el agua restante Si dispone de un filtro eléctrico, éste debería ser el último utensilio que instale.

Encima: Existen utensilios especiales para ayudar a plantar.

Tenga paciencia al instalar su acuario

Ahora viene la parte difícil: ¡no hacer nada! Conecte el filtro y no toque el acuario durante, por lo menos, tres días antes de traer sus peces a casa. (Incluso aunque no disponga de filtro, no olvide añadir un desclorador químico, que podrá encontrar en cualquier tienda de mascotas.) Este periodo de reposo permite que el agua se acondicione, librándose así del cloro y adquiriendo su temperatura. Permitir que el agua se acondicione de este modo asegurará un entorno seguro para sus nuevos peces y proporcionará a las plantas tiempo para adaptarse.

Ideas de Oro

29

Adquiera sus peces de fuentes reputadas

Los buenos comercios de peces de acuario, tiendas de mascotas y criadores privados dispondrán de peces bien cuidados y de un personal profesional. Examine los acuarios: el agua turbia y los peces hacinados o los muertos que reposan sobre el fondo deben indicarle que no debe seguir mirando e ir a buscar a otra tienda. A continuación observe a los peces. Deberían estar activos y moverse con libertad, y no esconderse, flotar, ni salir a la superficie en busca de bocanadas de aire. Evite adquirir cualquier pez que tenga manchas, úlceras, bultos, parásitos o las aletas dañadas: esto incluye a los que viven con él en el mismo acuario, ya que estos problemas pueden ser contagiosos. Pregunte al personal sobre los cuidados de los goldfish: si no conocen las respuestas, es improbable que los peces que tienen a su cuidado medren.

EMPIECE CON PECES PEQUEÑOS

Los peces pequeños y jóvenes quizá no tengan un aspecto muy espectacular, al compararlos con los ejemplares adultos, pero suponen la mejor compra, ya que se adaptarán mejor. Crecerán pronto, y tendrá el placer de ver cómo se desarrollan, bajo sus cuidados, para convertirse en unos ejemplares hermosos.

NO MEZCLE

No caiga en la tentación de mezclar goldfish pequeños y grandes. Los peces de mayor tamaño tenderán a comerse todo el alimento, dejando así con hambre a sus compañeros de menor tamaño. Esto mismo se aplica si mezcla nadadores ágiles como los cometas o los shubunkin con nadadores lentos como los cola de velo: éstos últimos estarán en desventaja.

CARACOLES ACUÁTICOS

A algunas personas les gusta incluir caracoles acuáticos en su acuario, pero pueden provocar problemas. Pueden consumir parte de los productos de desecho, pero ellos producen más. También devoran las platas de acuario y, frecuentemente, se reproducen con tanto éxito que quizás acabe teniendo una superpoblación de caracoles.

Izquierda: Escoja sus peces cuidadosamente. Un goldfish sano debería nadar con libertad y sin esfuerzo, aunque las variedades de aletas largas nadarán más lentamente.

Aleta dorsal

Línea lateral

Oído en la base del cráneo

Branquias debajo de esta cubierta

Aleta pectoral

Aleta pélvica

SUS PRIMEROS PECES

¿A cuántos peces puede dar cabida su acuario?

Calcule la superficie de su tanque. La norma general es la de 1 cm de pez por cada 60 cm^2 de superficie de agua. Así, un tanque que mida 60 cm x 30 cm x 30 cm tiene una superficie de 1.800 cm^2, lo que significa que puede contener un total de 30 cm de peces. Recuerde, además, que sus peces crecerán, así que téngalo en cuenta. Si no dispone de un filtro ni de una bomba, tenga el mínimo número posible de peces. En cualquier caso, siempre es preferible tener menos peces que tener un número excesivo, para proporcionar a sus peces las mejores condiciones de vida posibles. Lo ideal es que adquiera uno o dos peces pequeños para empezar y que espere unas pocas semanas antes de añadir más. Esto permite que el tanque se vaya acondicionando, desarrollándose así bacterias beneficiosas en el filtro, que se encargarán de los productos de desecho.

Pedúnculo caudal

Cola o aleta caudal

Izquierda: Examine las aletas para comprobar si tienen daños, que podrían ser indicativos de una infección.

Aleta anal

Transporte de los peces hasta su hogar

Normalmente le entregarán sus peces en una bolsa de plástico llena de agua. No los introduzca directamente en el acuario. Deje flotar la bolsa (cerrada) en el acuario durante unos 20 minutos, para que así la temperatura del agua pueda igualarse. El agua de la bolsa de transporte estará contaminada con productos de desecho del pez, así que no debería mezclarse con el agua del tanque. Después de diez minutos, abra la bolsa y deslice suavemente a los peces (con las manos húmedas) para introducirlos en el acuario. Deshágase del agua de la bolsa. Deberá dejar tranquilos a los peces para que se acostumbren a su nuevo hogar, así que espere hasta la mañana siguiente para empezar a alimentarles.

ALIMENTO
Y ALIMENTACIÓN

32

¿Qué debería dar de comer a mis goldfish?

El alimento comercial para goldfish, ya sea en forma de gránulos o de escamas, debería constituir el sostén principal de la dieta. La mayoría de las personas que tienen goldfish prefieren las escamas, ya que flotan bien y son fáciles de mordisquear. Además, para asegurarse de satisfacer las necesidades nutricionales de los peces, proporciónneles pequeños caprichos en forma de hortalizas picadas finamente (lechuga, espinacas, guisantes, etc.) y alimento vivo. Entre los alimentos vivos adecuados tenemos las daphnias (pulgas de agua), las artemias y las sanguijuelas, que podrá adquirir vivas en las tiendas de mascotas. No intente pescarlas por su cuenta en un pantano cercano, ya que podrían introducir enfermedades. También dispone de estos alimentos congelados.

Encima: Las sanguijuelas (izquierda) y larvas de mosquito (derecha) congeladas deben ser descongeladas antes de servirlas como alimento para sus peces.

33 ¿Cuánto?

Como norma general, proporcione la cantidad que sus peces puedan comer en cinco minutos. Durante los primeros días, proporcione una pequeña cantidad y observe cuánto tardan los peces en comerlo. Si se lo acaban rápidamente, deles un poco más, y si siguen comiendo una vez hayan pasado los cinco minutos, deles un poco menos la próxima vez, para así acabar dando con la cantidad correcta. Los goldfish son glotones: si pudieran, comerían hasta pesar demasiado para nadar. Sobrealimentarles es más peligroso que quedarse corto de comida. Los goldfish sobrealimentados eliminarán más productos de desecho del que puedan hacerse cargo los filtros, y el alimento no consumido contaminará el agua todavía más.

*Encima:
Gránulos y escamas para peces.*

POCO Y FRECUENTEMENTE
En estado salvaje, los goldfish «pacen», comiendo pequeñas cantidades continuamente. Éste es el régimen ideal para su sencillo sistema digestivo. Así, si está en casa todo el día, partir la ingesta diaria en tres o cuatro comidas pequeñas cada día se adecuará muy bien a ellos. También hará que su vida sea más variada e interesante.

34 ¿Con cuánta frecuencia?

Los peces jóvenes y en crecimiento necesitan raciones extra, así que deberían ser alimentados dos o hasta tres veces por día. A medida que crezcan podremos reducirlo a una vez por día. Los goldfish adultos pueden ser alimentados cada dos días. Si les alimenta con una frecuencia excesiva, los goldfish se volverán gordos y su salud no será buena. Unos goldfish sanos sobrevivirán durante una semana o más sin alimento. Si se va de vacaciones una semana, probablemente sus peces estarán mejor sin comer que si confía en un amigo, que podría sobrealimentarles.

DIGESTIÓN DELICADA
Los peces de cuerpo corto (de forma aovada) pueden necesitar cuidados extra en lo tocante a la alimentación. Tienen tendencia a padecer problemas de flotabilidad (véase la pág. 10), y el alimento flotante puede suponer un problema si el pez absorbe aire cuando se alimenta. Vale la pena empapar su alimento durante un minuto antes de dárselo, para que así se hunda un poco.

MANTENIMIENTO DEL ACUARIO

LA SEGURIDAD ES LO PRIMERO
*Al limpiar su tanque, recuerde
desconectar todos los aparatos
eléctricos y desenchufarlos antes de
empezar a trabajar, para así
protegerse a usted y a sus peces.
Tenga cuidado para no salpicar sobre
los enchufes cercanos. Recuerde: ¡el
agua y la electricidad no hacen
buena pareja!*

NADA DE JABÓN, POR FAVOR
*Nunca limpie el tanque ni los adornos
con jabón ni con productos para la
limpieza del hogar, ya que podrían
envenenar a sus peces. Ni siquiera
se arriesgue a limpiar la cara exterior
del vidrio con productos para
ventanas: cíñase estrictamente a los
limpiadores especialmente diseñados
para acuarios que podrá encontrar en
las tiendas de mascotas y en los
centros de acuariofilia.*

35

Utensilios de limpieza útiles

Su equipo de limpieza básico debería consistir en un aspirador de sifón para limpiar el tanque y cambiar el agua, un rascador de algas y un par de cubos: uno para extraer agua «vieja» del tanque y otra para acondicionar el agua de repuesto. Reserve estos cubos sólo para usarlos con el acuario. Escoja un sifón con un utensilio para aspirar la grava, para así eliminar los desechos de los peces, el alimento no consumido y otros tipos de materia orgánica. Estas tareas son esenciales: ¡un entorno descuidado significa peces muertos!

*Izquierda: Entre los utensilios
útiles tenemos una red para
capturar a los peces, un sifón
de vacío y un rascador de algas.*

LOS CUIDADOS DE LA GRAVA
*La suciedad se acumula sobre la
grava, en el suelo del acuario. La
suciedad visible puede ser
aspirada cuando la observe o
durante la limpieza semanal
rutinaria. Además, es de ayuda
remover un poco la capa superior
cada dos semanas para permitir
que el agua circule a través de ella.*

36

La filtración elimina mucha contaminación, pero no toda

Así, una vez por semana (o con mayor frecuencia si no dispone de un filtro), sifone una tercera parte del agua del acuario y sustitúyala con agua fresca. No use agua directamente del grifo: llene un cubo el día antes y déjelo reposar toda la noche para que así alcance la temperatura ambiental, y use un acondicionador del agua para eliminar cualquier resto de cloro. Esta tarea debe llevarse a cabo regularmente para evitar cambios súbitos en la composición química del agua, que son tan peligrosos para los peces como el descuidar las atenciones debidas al agua.

Mantenimiento de los filtros

Las bombas y los filtros también necesitan atenciones regulares. Examine las instrucciones de sus modelos concretos aunque, en general, los medios que componen el

filtro deben ser sustituidos periódicamente, y los elementos del filtro deben ser enjuagados semanalmente. Asegúrese de enjuagarlos en agua del acuario, y no debajo del grifo: el agua del grifo destruirá a las bacterias beneficiosas. Compruebe que la piedra difusora de aire no esté taponada con algas ni con depósitos de sustancias químicas y que la manguera del aire no haya quedado doblada. Estas comprobaciones pueden hacerse al mismo tiempo que el cambio de agua semanal.

Elimine cualquier alga

Una vez el acuario se haya asentado, lo más probable es que empiecen a crecer algas. Si sólo hay unas pocas, serán inocuas y, de hecho, los peces disfrutarán mordisqueándolas. Es fácil eliminar las algas del vidrio, como parte de su rutina semanal, con un rascador de algas. La luz excesiva estimula el crecimiento de las algas, con lo que si se forma una cierta densidad de algas que oscurece el vidrio, hace que el agua se vuelva verde, o asfixie a las plantas. Coloque su acuario en un lugar con más sombra para solucionar este problema.

Izquierda: El rascador de algas dispone de una superficie abrasiva para eliminar las algas del vidrio antes de que crezcan y adquieran un grosor suficiente como para causar problemas.

ENTENDER A

39

Los goldfish tienen buena vista, hasta cierto punto

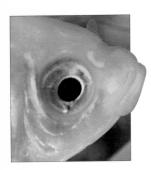

Son cortos de vista, pero ven bien los objetos cercanos y disponen de visión en color. Los ojos, que están colocados a los lados del cuerpo, les proporcionan un campo de visión más amplio que el nuestro. Al contrario que nuestros ojos, los de ellos no pueden hacer frente a los cambios bruscos en la intensidad de la luz, ya que carecen de párpados y también de iris (la parte del ojo que varía su tamaño para adecuarse a las distintas intensidades lumínicas), así que agradecen disponer de plantas y otros objetos donde poder refugiarse cuando las luces son encendidas o apagadas.

Encima: Cada uno de los ojos puede enfocar los objetos de forma independiente, proporcionando al goldfish un campo de visión panorámico.

40

Los goldfish no tienen orejas, pero pueden oír

Disponen de un órgano en el interior de la cabeza que es similar a nuestro oído interno y que detecta las vibraciones sonoras. Además, tienen una hilera de células nerviosas que discurren por la parte lateral de su cuerpo (se puede ver en forma de una fina línea horizontal) que se llama *línea lateral*, y que capta el sonido y otras vibraciones. Estos dos «oídos alternativos» permiten a los goldfish oír sonidos del interior y del exterior de su acuario. La línea lateral también detecta cambios en el agua, lo que permite a los peces captar y evitar cualquier obstáculo.

Encima: La línea lateral, que es sensorial, puede verse claramente discurriendo a lo largo de la parte lateral del cuerpo del goldfish.

Izquierda: El sonido viaja por el agua hasta cuatro veces más rápido que por el aire, así que los peces responden rápidamente ante las vibraciones sonoras.

SUS GOLDFISH

41

No tienen nariz, pero pueden oler

Las ventanillas nasales de un pez, situadas a ambos lados del hocico, no son usadas para respirar y no están conectadas con la boca ni con la garganta. Su propósito es, sencillamente, el de oler. El agua pasa, hacia dentro y hacia fuera, a través de las ventanillas nasales, donde células sensoriales captan los olores que contiene. Aunque el sentido del olfato de un goldfish no es muy bueno, es bastante importante para encontrar alimento. Los peces no podrán oler su alimento si viven en agua sucia, y podrían entonces tener dificultades para localizarlo.

INTELIGENCIA

Se sabe hace mucho que los goldfish pueden aprender a reconocer a sus propietarios y saber la hora de la comida. Investigaciones recientes que han demostrado que pueden aprender a reconocer distintas melodías sugieren que pueden ser más inteligentes de lo que pensábamos.

Encima: Los sensores del gusto localizados en el interior de la boca identifican los objetos comestibles.

UN ASUNTO DE GUSTO

Los goldfish tienen un buen sentido del gusto. Tienen muchas papilas gustativas, localizadas en los labios y por toda la boca. Usan la boca para explorar su entorno en busca de comida, identificando lo que es comestible y lo que no, y escupiendo cualquier cosa que no lo sea.

Los goldfish son animales sociables

42

Generalmente son pacíficos y tienden a buscar la compañía de sus congéneres. Sólo es probable que se produzcan agresiones durante la época de cría, o si un compañero está herido, en cuyo caso los otros podrían cebarse con él. Sin embargo, los goldfish no parecen sufrir si son tenidos solos. Si el espacio es limitado, un único pez estará más feliz viviendo solo y con espacio para moverse que con varios peces hacinados en un espacio pequeño.

SENSIBILIDAD AL SONIDO

¡No golpee el vidrio del acuario! Las paredes de vidrio y el agua aíslan a los peces de los sonidos normales del exterior del acuario, como los de una conversación. Sin embargo, si golpetea el vidrio, o incluso la mesa situada debajo del tanque, lo captarán en forma de un ruido verdaderamente fuerte y pueden quedar muy angustiados.

DOLENCIAS COMUNES

43

Es mejor prevenir que curar

La causa más común de enfermedad en los goldfish es la mala calidad del agua, así que no descuide los cambios de agua, el mantenimiento en buen estado de los sistemas de filtración y aireación, y evite la alimentación excesiva y el hacinamiento de los peces. La introducción de nuevos peces, plantas o adornos en el acuario puede traer enfermedades, así que no meta nada en el acuario a no ser que proceda de una fuente segura (un comercio de acuarios o una tienda de mascotas de confianza). Si dispone de espacio para un segundo tanque, someta a cualquier pez nuevo a una cuarentena de un mes antes de introducirlo en el acuario.

La podredumbre de las aletas es una enfermedad bacteriana que erosiona el tejido vivo, dejando las espinas óseas al descubierto.

El punto blanco es una infestación parasitaria caracterizada por la presencia de unos granos blancos.

Si el pez está afectado por la hidropesía, las escamas sobresalen de la superficie corporal, de forma muy parecida a una piña.

44

Las zonas enrojecidas o las úlceras son provocadas por una infección bacteriana.

Signos de advertencia

Los cambios en el comportamiento o el aspecto de un pez nunca deberían ser pasados por alto. Un pez que esté más o menos activo de lo normal o que se muestre reacio a comer, puede estar enfermo. Un pez enfermo puede flotar, hundirse, o nadar dando giros o de lado. Otros signos a tener en cuenta incluyen una hinchazón repentina, las aletas pegadas firmemente al cuerpo, que los peces se rasquen frotándose contra los objetos del acuario, heces pegajosas colgando del ano, y manchas, úlceras o decoloraciones de la piel. Pida consejo sobre el tratamiento a su tienda de acuarios.

Manchas y podredumbre

Los daños o las manchas en la piel, las aletas o la cola de un pez suelen ser causadas por parásitos o infecciones bacterianas, que deben ser tratadas con medicación. Algunos problemas de la piel pueden no ser visibles por sí mismos, pero se pueden notar debido a la obvia incomodidad del animal, que se frota frecuentemente para rascarse y que tiene una respiración rápida. Otros pueden hacerse patentes en forma de tumores, erupciones, bultos o manchas blancas, parásitos en forma de hilo que cuelgan del cuerpo, una capa aterciopelada sobre la piel o las aletas dañadas. Pida una medicación adecuada en una tienda especializada.

Problemas de la vejiga natatoria

Los peces que pierden el equilibrio y que flotan, se hunden o incluso nadan boca abajo sin poder evitarlo, padecen problemas en la vejiga natatoria (véase la pág. 10). Entre las causas se incluyen la mala calidad del agua, los problemas digestivos, los parásitos o, simplemente, tener goldfish de las variedades más vulnerables. Los problemas de la vejiga natatoria suelen ser incurables. No obstante, el mejorar la calidad del agua y reducir el aporte de alimento pueden ser de ayuda, al igual que un baño de agua salada (una cucharada de postre por cada 4,5 litros de agua). No use sal yodada: puede adquirir sal especial para acuarios, que es más segura.

Derecha: Dispone de equipos de análisis para comprobar los niveles de amoniaco, nitritos y nitratos del agua. Éstos son productos de desecho de los peces que se acumulan en el acuario y que pueden ser nocivos para los animales.

Ideas
de Oro

CONDICIONES PARA LA CRÍA

Para potenciar la reproducción, cree un verano artificial en el tanque incrementando las horas de iluminación, llevando a cabo cambios diarios del 20 % del agua del acuario y añadiendo alimento vivo o congelado (por ejemplo artemias) a la dieta.

FREGONAS

Los criadores profesionales transfieren más fácilmente los huevos a un tanque incubadora colocando unas «fregonas» para la puesta, para que los huevos se enganchen a ellas. Puede fabricar una de estas «fregonas» atando unos cordeles de lana para que formen una borla y uniéndolos a un corcho para que flote en el acuario.

Debajo: Tubérculos de cría visibles detrás de los ojos de un macho.

DIOS LOS CRÍA Y ELLOS SE JUNTAN

Todas las variedades de goldfish pueden reproducirse entre ellas, así que si tiene variedades distintas en un mismo acuario, pueden producir algunos cruces interesantes (o decepcionantes). En los estanques, el goldfish también puede cruzarse con la carpa koi y con la carpa fantasma, dando lugar a alevines con las características de ambas especies.

No apta para principiantes

La cría de goldfish no es una tarea apta para el propietario novato. No sólo necesita disponer del espacio para tener un acuario incubadora para los alevines (y un hogar para los ejemplares jóvenes que sobrevivan) sino que, además, los huevos y los alevines necesitan muchos cuidados. Los huevos son vulnerables y pueden crecer hongos sobre ellos y los alevines recién eclosionados, que sólo tienen una longitud de 5 mm, son extremadamente frágiles. Necesitan unas condiciones y temperatura del agua buenas y estables y la cantidad correcta de alimento especial si queremos que sobrevivan.

Encima: Los ranchús rojos metálicos de nueve semanas ya tienen un buen aspecto, pero a su capucha de color puede llevarle hasta tres años desarrollarse.

El ciclo reproductivo de los goldfish

Los goldfish no se reproducen hasta que alcanzan la edad adulta (generalmente al cumplir el segundo año). Durante la época de cría, las hembras suelen volverse más rechonchas y los machos desarrollan unas manchas blancas redondas (tubérculos de cría) en la cabeza, los opérculos y las aletas pectorales. El cortejo de los goldfish consiste en que los machos persiguen a las hembras durante varios días antes de darse la puesta de los huevos (desove). Una vez los huevos son puestos, los padres no se ocupan de ellos, y los goldfish suelen comerse a sus crías.

CONSEJOS PARA LA CRÍA

Es improbable que los goldfish se reproduzcan en las condiciones de un acuario normal

La cría es más fácil en estanques exteriores grandes. Es imposible sexar a los goldfish si no se encuentran en la época de la reproducción, así que quizás ni siquiera tenga una pareja. Si sus peces empiezan a darse sesiones de locas persecuciones, probablemente estén en condiciones para reproducirse y pueden poner huevos, que tienen el tamaño de la cabeza de una aguja y que quedarán enganchados a las hojas de las plantas, y que eclosionarán de cuatro a seis días más tarde. A no ser que pueda transferirlos a un acuario incubadora, su programa de cría finalizará aquí, ya que los adultos devorarán rápidamente a los alevines.

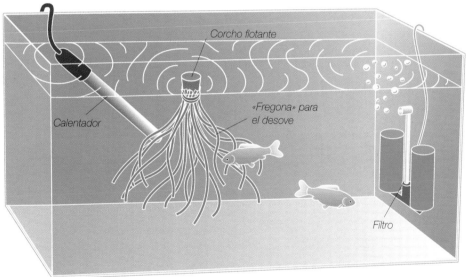

Corcho flotante

«Fregona» para el desove

Calentador

Filtro

Encima: Los criadores dedicados usan un tanque grande y climatizado con una «fregona» para el desove a la cual podrán quedar adheridos los huevos.

Cuidados de los huevos y de los alevines

Si le sobra un acuario y quiere intentar criar alevines, transfiera las plantas cubiertas de huevos a este tanque incubadora. Necesitarán una temperatura de unos 21 °C. Los alevines recién eclosionados parecen, al principio, pequeños pelos unidos a las plantas. Durante los primeros días no necesitarán alimento, ya que seguirán absorbiendo el alimento contenido en su saco vitelino. Cuando naden, alejándose de las plantas, necesitarán alimento especial para alevines, que consiste en microorganismos y algas.

Agradecimientos

El autor y el editor desean expresar su sincero agradecimiento a Jackie Wilson, de Rolf C. Hagen (UK) Ltd y a Sarah Chapman, de Reef One Ltd, que suministraron, generosamente, utensilios para la fotografía de este libro. También damos las gracias a las modelos Alexia McGuire y a Victoria y Louise Etheridge; a Mike y a Wendy Yendel, de Aristaquatics, Billinghurst; y a Peter Dean, de Interpet Ltd por su ayuda con el apoyo fotográfico.

Créditos de fotografías

La mayoría de las fotografías reproducidas fueron tomadas por Neil Sutherland especialmente para este libro, e Interpet Publishing tiene su copyright. Geoffrey Rogers, de Ideas Into Print también suministró algunas fotografías (© Interpet Publishing): le agradecemos mucho su ayuda.

Título de la edición original: **Gold medal guide: Goldfish.**

Es propiedad, 2004
© Interpet Publishing Ltd.

© de la traducción: **David George.**

© de la edición en castellano, 2006:
Editorial Hispano Europea, S. A.
Primer de Maig, 21 - Pol. Ind. Gran Via Sud
08908 L'Hospitalet - Barcelona, España.
E-mail: hispanoeuropea@hispanoeuropea.com

Depósito Legal: B. 21309-2006.

ISBN: 84-255-1660-9.

Consulte nuestra web:
www.hispanoeuropea.com

IMPRESO EN ESPAÑA   PRINTED IN SPAIN

LIMPERGRAF, S. L. - Mogoda, 29-31 (Pol. Ind. Can Salvatella) - 08210 Barberà del Vallès